코멘터리 북

정년이

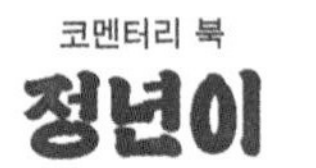

코멘터리 북

정년이

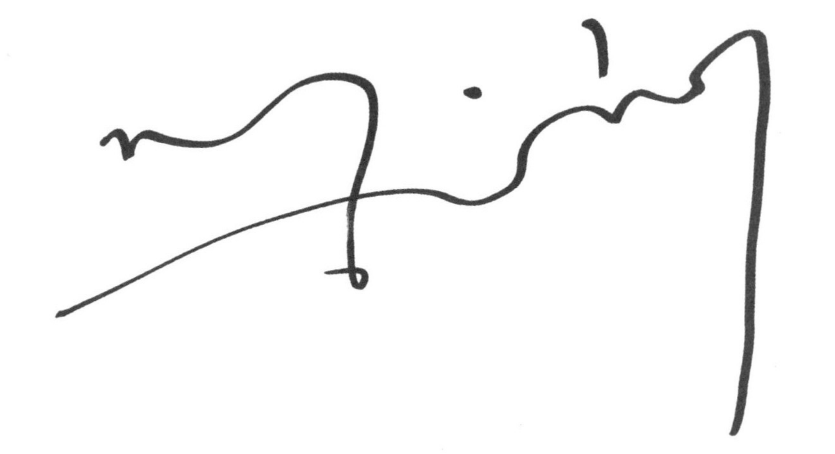

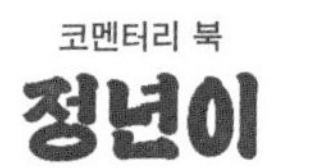
코멘터리 북
정년이

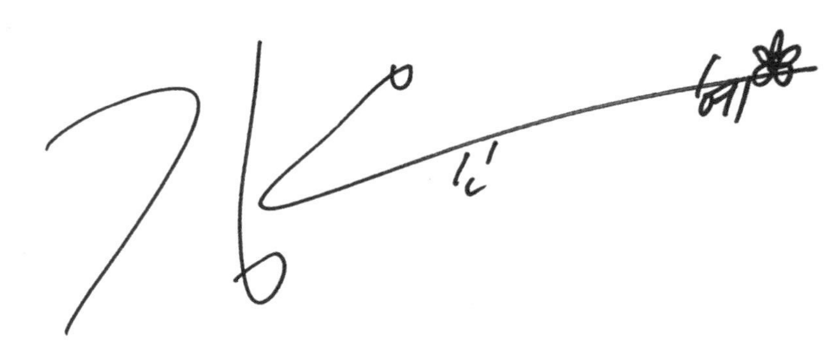

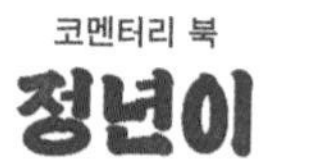
코멘터리 북
정년이

코멘터리 북

정년이

정년이 코멘터리 북

초판 1쇄 인쇄 2024년 11월 10일
초판 1쇄 발행 2024년 11월 20일

지은이 최효비 외
펴낸이 김선식

부사장 김은영
콘텐츠사업2본부장 박현미
책임편집 곽수빈 **책임마케터** 박태준
콘텐츠사업6팀장 임경섭 **콘텐츠사업6팀** 정지혜, 곽수빈, 조용우, 이한민, 이현진
마케팅본부장 권장규 **마케팅1팀** 박태준, 오서영, 문서희 **채널팀** 권오권, 지석배
미디어홍보본부장 정명찬 **브랜드관리팀** 오수미, 김은지, 이소영, 박장미, 박주현, 서가을
뉴미디어팀 김민정, 홍수경, 변승주, 고나연
지식교양팀 이수인, 염아라, 석찬미, 김혜원, 이지연
편집관리팀 조세현, 김호주, 백설희 **저작권팀** 이슬, 윤제희
재무관리팀 하미선, 김재경, 임혜정, 이슬기, 김주영, 오지수
인사총무팀 강미숙, 이정환, 김혜진, 황종원
제작관리팀 이소현, 김소영, 김진경, 최완규, 이지우, 박예찬
물류관리팀 김형기, 김선민, 주정훈, 김선진, 한유현, 전태연, 양문현, 이민운
외부스태프(디자인) 위드텍스트 이지선

펴낸곳 다산북스 **출판등록** 2005년 12월 23일 제313-2005-00277호
주소 경기도 파주시 회동길 490
전화 02-704-1724 **팩스** 02-703-2219
이메일 dasanbooks@dasanbooks.com
홈페이지 www.dasan.group **블로그** blog.naver.com/dasan_books
용지 한솔피앤에스 **인쇄** 상지사피앤비 **제본** 상지사피앤비 **코팅 및 후가공** 제이오엘앤피

ISBN 979-11-306-5873-5 (04680)
979-11-306-5870-4 (세트)

COMMENTARY BOOK

정년이 코멘터리 북

차례

梅
배우
미니 인터뷰
蘭

배우

김태리

윤정년 역

Q 대본의 첫인상

A 첫인상은 '정년이'였어요. 원작 만화에서는 사실 매 캐릭터의 챕터가 나뉘어 있는 것처럼 느껴지기도 했고 여성국극의 일대기에 사람들이 얹어진 느낌도 들었다면, 드라마 〈정년이〉의 대본은 정년이가 완전히 무대의 주인공인 느낌이었어요. 그런 지점에서 부담이 느껴지기도 했지만 작가님도 감독님도 드라마는 정년이가 제대로 서야 한다고 말씀하셨던 게 기억나요. 대신 정년이를 중심에 세우면서도 인물들의 관계성을 보여줄 수 있는 작은 디테일들을 놓치고 가지 말자는 데 모두가 동의를 했고 그렇게 촬영을 했습니다.

Q 어떤 각오로 임했는지

A 정년이는 많은 일들을 겪으며 한 계단 한 계단 성장하는 인물이기 때문에 그 디벨롭 과정이 선명하게 보여야 한다고 생각했고 그 부분에 집중했어요. 대본을 받으면, 최대한 표현한다. 이게 다인 것 같아요. 연기 외적인 욕심이 있다면, 국극 무대가 잘 나왔으면 좋겠다!

Q 배우 김태리와 예인 윤정년, 둘의 닮은 점과 다른 점은

A 정년이가 무대를 처음 봤을 때, 무대에 처음으로 서보았을 때, 처음 박수갈채를 받았을 때, 텅 빈 무대 위에서 텅 빈 객석을 바라봤을 때…… 공감되고 알 수 있는 감정들이었다고 생각해요. 첫 무대 촬영은 3부의 〈춘향전〉이었어요. 1부의 〈자명고〉 때 저는 객석에 있었으니까요. 〈춘향전〉을 준비하며 무대 위에서 몸을 푸는데 기분이 날아오를 것 같았어요. 무대에 다시 섰구나. "아, 어쩔 것이냐. 무대가 미치게 좋은디."(7부) 닮은 점은 아무래도 무작정 달려드는 성격. 망설이지 않고 일단은 몸을 던져보는, 그런 부분이 닮았고 다른

점은 글쎄요. 전 이제는 적당히 망설인다는 점? 하하.

Q 가장 아끼는 대사

A 그라고 내가 널 으뜨케 미워해야. 내가 이 국극단 첨 들어왔을 때 제일 먼저 웃어준 것이 너였는디.

Q 이 드라마는 해피엔딩인가, 새드엔딩인가

A 무조건 해피엔딩입니다. 왜냐면 우리는 계속 살아갈 것이니까요. 삶이 계속되는 한 새드엔딩은 없어요.

Q 만약 당신이 매란국극단의 팬클럽 회원이었다면 누구의 팬이었을까

A 문옥경. 전 대세를 거스르지 않습니다.

배우

신예은

허영서 역

Q 대본의 첫인상

A 처음 대본을 보고는 동화 속 이야기 같다고 생각했어요. 현실에는 없는 동화 같은 이야기요. 그런데 실제로 우리나라의 문화가 담긴 이야기라는 것이 굉장히 흥미롭게 느껴졌어요. 영서 역을 맡아 이런 흥미로운 이야기 속으로 들어갈 수 있게 되다니! 하면서 설렜던 기억이 납니다.

Q 어떤 각오로 임했는지

A 판소리, 국극, 춤 등 준비해야 할 것들이 많았어요. 가다끼, 니마이를 오가며 각 공연마다 다른 인물들을 연기해야 했거든요. 정말 열심히 준비해서 배우

신예은으로서 표현할 수 있는 것에 한계가 없다는 걸 보여주자라는 다짐이 첫 번째였던 것 같아요. 또 한 단계 나아가 그것을 신예은이 아닌 영서의 성향과 스타일대로 녹여내고 싶다는 욕심도 있었습니다.

Q 배우로서, 예인 허영서에게 가장 공감되었던 장면

A 배우로서 연기를 할 때 '내가 정말 자유롭게 즐기고 있을까?'라는 생각을 할 때가 종종 있습니다. 내가 사랑하는 일이니 그만큼 고민도 많아지고 더 신중해지는 것 같아요. '영서도 비슷하지 않았을까…… 나와 비슷한 고민들을 안고 있겠다'라고 공감하며 영서의 감정을 풀어나갔습니다. 특히 영서가 잘하고 싶고 완벽하고 싶어서 하는 고민들, 그 과정에서 겪는 성장통이 드러나는 장면들에 많이 공감했습니다. 이 세상의 많은 허영서들에게 잘하고 있다고, 자신을 믿고 전진하라는 응원을 전하고 싶습니다.

Q 영서가 맡았던 배역 중 가장 좋아하는 배역은

A 온달이와 달비입니다. 온달이는 영서의 전과

다른, 새로운 모습을 보여줄 수 있는 인물이었어요. 틀에 박히지 않고 몸을 내던져보는 영서의 노력이 잘 드러났던 캐릭터라 좋아하게 됐습니다. 그리고 〈쌍탑전설〉 자체가 정년이와 영서의 모습을 보여주는 것만 같아서 자연스럽게 달비라는 인물에도 애정이 가게 되었습니다.

Q 가장 아끼는 대사

A 7부의 영서 대사 중에 "나는 아무리 노력해봤자 될까 말까래. 근데 그런 게 어딨어? 연습으로 안 되는 게 어딨어! 몇천 시간을 들여서 안 되면, 몇만 시간을 들여서라도 할 거야!"라는 부분을 제일 아껴요. 누구나 이런 성장통을 겪어보지 않았을까요? 7부 대본을 울면서 읽어 내려갔던 것이 기억에 남아요.

Q 만약 당신이 매란국극단의 팬클럽 회원이었다면 누구의 팬이었을까

A 옥경 선배님이요! 정말 잘생기셨어요. 정말 예뻐요!! 그냥 옥경 선배님이 최고입니다!! :D

배우

라미란

강소복 역

Q 대본의 첫인상

A 설렘과 두근거림, 뭔가 재밌는 일이 시작될 것 같다는 느낌이었어요. 배우 이야기라서 더 흥분했던 것 같아요. 게다가 이 이야기를 지켜볼 수 있는 단장 강소복 역이라니…… 아, 너무 흥미진진한데?

Q 가장 살리고 싶었던 소복 캐릭터의 포인트

A 대쪽 같은 카리스마? ㅎㅎ 예인으로서의 자존심과 예술을 대하는 그녀의 태도. 소복은 누구보다 엄격하지만 아주 부드러운 면모도 있는 것 같아요.

무엇보다도 가장 살리고 싶었던 부분은 제자들과 단원들에게 가지는 애정이었어요. 그들의 눈부신 재능과 아름다운 열정을 어찌 사랑하지 않을 수 있을까요?

Q 배우 라미란에게 예인으로서의 마음가짐이란

A 그리 거창하지 않아요. 전 이 일이 너무 재밌고 즐거워요. 가장 사랑하는 일이죠. 늘 생각해요. 신명나게 놀아보자고!!

Q 가장 아끼는 대사

A 끝까지 너의 길을 가라는 거다.

Q 매란국극단 단원 중 가장 밥을 잔뜩 사주고 싶은 후배

A ……오늘은 매란국극단 회식이다!

배우

문소리

서용례 역

Q 대본의 첫인상

A 처음 대본을 읽고, 새로운 소재와 조금은 익숙한 성장드라마가 조화를 잘 이루고 있다는 생각이 들었습니다. 그리고 판소리에 대한 애정이 깊은 저로서는 다시는 이런 소재의 드라마가 없을 것 같아 작은 역이라 할지라도 꼭 합류하고 싶었습니다. 더불어 스물세 살의 문소리에게 판소리를 가르쳐주신 남해성 선생님에 대한 사랑과 존경을 담아, 보은하는 마음을 담아 서용례를 만들어보고 싶었습니다.

Q 문소리와 서용례, 둘의 닮은 점과 다른 점은

A 닮은 점을 굳이 꼽자면 우선…… 외모? 다른 점은 무수히 많지만 하나만 꼽자면 저는 용례와 달리 딸에게 매우 다정한 편입니다.

Q 만약 실제로 윤정년 같은 후배를 만난다면 해주고 싶은 말

A 마음이 가는 대로 달려가라! 누가 뭐래도 주저 말고!!

배우

정은채

문옥경 역

Q 대본의 첫인상

A 저는 성장드라마를 좋아합니다. 지극히 평범한 인물일지라도 한 인물을 깊이 있게 따라가다 보면 어느새 나의 모습을 대입하게 되는 매력이 있습니다. 그런 면에서 정년이라는 캐릭터는 무한으로 응원하고 싶은, 지켜주고 싶은 인물로 느껴졌습니다. 그리고 정년이와 함께하는 모든 인물들이 참 인간적으로 그려져 있어서 좋았습니다. 함께 작업하게 된다면 정년이의 삶에 꼭 필요한 인물로, 작품에서 저라는 존재가 잘 쓰이면 좋겠다는 기대와

설렘이 들었던 기억이 있습니다.

Q 국극 배우로서 정상의 자리에 올랐지만 영화라는 새로운 분야를 향해 떠나는 옥경. 만약 당신이었다면 어떤 선택을 했을까

A 저도 같은 선택을 했을 것 같습니다.

Q 문옥경에게 서혜랑이란

A 혜랑은 옥경이에게 무대 위 가장 좋은 파트너이자 서로를 빛낼 수 있는 강력한 무기로 존재하는 인물입니다. 관객들에게는 완벽한 그림의 커플이지요. 하지만 현실에서는 애증과 연민의 감정이 뒤섞인 관계라고 생각합니다.

Q 가장 아끼는 대사

A (정년이에게) 너 이름이 뭐야?

정년이를 처음 본 날, 그녀의 이름을 우리 모두에게 각인시킨 짧지만 설레는 순간으로 기억됩니다. 누군가 반짝이는 눈으로 나의 이름을 물어봐줄 때,

찰나의 순간이 영원처럼 느껴지는 그런 장면과 대사로 느껴졌습니다.

Q 만약 당신이 매란국극단의 팬클럽 회원이었다면 누구의 팬이었을까

A 매란의 왕자님 문옥경! 왜냐하면 한번 왕자님은 영원한 왕자님이니까요!

배우

김윤혜

허혜랑 역

Q 어떤 각오로 임했는지

A 대본을 읽어보니 전반적으로 힘차고 명랑한 느낌이었고, 혜랑이는 거기에 긴장감과 위기감을 주는 캐릭터여서 멋지게 배역을 소화하고 싶은 욕심이 났어요. 국극 분야에서 무용으로는 당대 최고인 예인을 연기해야 하니까 준비를 열심히 해서 혜랑이다운 면모를 시청자분들에게 보여주고 싶었습니다.
또 사담 중에 작가님께서 "윤혜 씨 연기력이 폭발할 수 있는 장면을 만들어드릴게요"라고 말씀하신 적이 있어요. 감정적으로 혜랑이가 점점 무너져 내리는 장면들을 말씀하신 것인데, 고민도 걱정도 많았지만 그 부분을 꼭 잘 표현하고 싶었습니다.

Q 혜랑으로서 가장 아팠던 장면

A 분장실에서 옥경이가 국극단과 혜랑이를 떠나는 장면. 그때 혜랑이가 가장 안쓰러웠어요. 소복 단장으로부터 국극단을 떠나라는 통보를 받았는데 옥경이마저 자신을 놓아버린 거니까요. 혜랑이가 스스로 서 있으려고 위태롭게 기대 있던 두 축이 완전히 무너진 느낌이었습니다.

Q 혜랑 외에 가장 감정이 이입된 캐릭터는

A 영서 캐릭터에 감정이입이 많이 되었어요. 끊임없이 연습하면서 누구보다 노력을 많이 하고 실력까지 갖췄음에도 때로는 자신감을 잃거나 회의감을 느끼기도 하는 모습에 공감되는 부분이 있었습니다. 끝내 불안함을 떨치고 동료이자 경쟁자인 정년이를 인정하면서 스스로도 자신의 자리에서 멋지게 빛나는 모습에 응원하는 마음이 많이 생기는 캐릭터였어요.

Q 가장 아끼는 대사

A 혜랑이의 대사 중에는 "후배들이 하나씩 치고 올라오는데 태연할 사람이 어딨어요. 내 자리 뺏기고 그대로 밀려날 등신이 어딨냐고요!" 이 대사가 처음 읽었을 때부터 혜랑이가 입 밖으로 뱉은 말 중에 제일 솔직한 말이었던 것 같아서 좋았어요.
하나 더 말씀드리면, 혜랑이가 들었던 대사 중에는 "누군가의 인생에는 네가 죽 자리 잡고 있었어." 혜랑이에게 큰 위로가 되었던 대사라 너무 좋았어요!

Q 만약 당신이 매란국극단의 팬클럽 회원이었다면 누구의 팬이었을까

A 영원한 왕자님 옥경이요! 반할 수밖에 없는 매력적인 문옥경!

배우

우다비

홍주란 역

Q 대본의 첫인상

A 우선 저는 웹툰을 재밌게 봤었기에 오디션을 본다는 얘기를 들었을 때부터 대본에 대한 기대가 있었어요. 대본을 받아보니 생명력이 넘치는 매란국극단의 전경이 눈앞에 펼쳐지는 것만 같아 설레었습니다. 어떤 역의 오디션인지 생각해봤을 때, 왠지 주란이는 생각도 못 했어요. 여태 새침하고 도도한 느낌의 역할 위주로 했던 제가 햇살 같은 주란이를 해낼 수 있을까 하는 거리감이 있었나 봐요. 하지만 사실 그때의 저는 누구보다 소녀스러운 마음을 간직하고 있었기 때문에

그 마음을 잘 마주해보자는 결심을 하고 준비했습니다.

Q 변화가 큰 인물 주란. 연기할 때 주안점을 둔 부분은

A 맞아요, 초반의 주란이는 기도 많이 죽어 있고 영서한테 말 걸기조차 어려워할 정도로 수줍은 소녀였어요. 하지만 정년이와 함께 있을 때는 웃음과 열정이 넘쳤고요. 어떤 인물과 있느냐에 따른 변화가 필요했어요. 주란이에게는 힘든 순간이 많았는데, 그런 장면을 촬영하기 전에는 아주 가만히 있으면서 정해놓은 노래를 들으며 마음을 내려 앉히곤 했어요. 왜 너무 마음이 힘들면 정말 심장께가 아려오는 때가 있잖아요…… 후반부엔 저를 그 상태로 만들려 노력했어요. 물리적인 아픔이 있으니까 직접적으로 표현되기도 하더라고요.

Q 주란의 마지막 선택을 어떻게 생각하는지

A 너무 밉고, 정말 너무하죠. 근데 만약 제 일이었다면 저도 어쩔 수 없었겠다는 생각이 들었어요. 저도 가족이 세상에서 가장 소중하거든요. 본인도 얼마나

하기 싫은 선택이었을까요. 저는 주란이가 그 상황에 놓여 고민하고 마음먹기까지의 고통을 수없이 생각하고 함께 아파한 입장으로 그저 안쓰러울 뿐이라는 말밖엔…….

Q 가장 아끼는 대사

A 아. 저는 아무리 생각해도 너무 명확하네요.
"잘 있어, 정년아. 내 하나뿐인 왕자님……."
시간이 정말 많이 지나고 〈정년이〉라는 드라마를 다시 떠올린다면 제게는 이 대사가 굵은 글씨로 남아 있지 않을까요?

Q 만약 당신이 매란국극단의 팬클럽 회원이었다면 누구의 팬이었을까

A 저는 대스타 옥경이를 따라다니다, 새롭게 눈에 딱 띈 정년이의 팬이 되었을 것 같아요. 정년이는 다듬지 않은 자신만의 매력을 가지고 있잖아요? 호기심이 생기고 마음이 갔을 것 같아요. 그리고 연습실에서 본 정년이는 언제나 대단했기 때문이기도 합니다.

梅 정지인 감독 인터뷰 蘭

메인 배역 중에 남자 배우가 없는, 한국 드라마계에서 무척 이례적인 드라마입니다. 임하는 각오가 남달랐을 것 같아요.

대본을 읽기 전까지 궁금함 반 걱정 반이었습니다. 남성 캐릭터들의 큰 활약이 없는 원작이 그대로 갈 수 있는 건지, 제작이 과연 가능한지가요. 그리고 1회를 읽자마자 생각했어요. 나는 이걸 해야겠구나. 이 작품을 만나기 위해 작가님을 꼭 만나야겠다. 그렇게 〈정년이〉에 발을 디뎠습니다.

대본 회의를 하면서 원작의 매력을 최대한 담아내되, 원작을 보지 않은 수많은 시청자들에게 편하고 쉽게 다가가야 한다는 목표를 세웠던 기억이 납니다. 원작이 있는 작품을 두 번째로 만나다 보니 때로는 조심스럽기도 하고 어떤 때는 과감한 선택이 필요했습니다. 평범하지 않은 소재를 다루는 만큼 대중적으로 다가갈 방법을 최효비 작가님과 함께 마지막 회차를 뽑는 순간까지 고심했습니다. 특히 원작의 소리와 공연 장면 등을 어떤 식으로 소화할지가 가장 큰 고민이었습니다. 드라마 대본 안에서도 이를 구현하기 위해 작가님이 꾹꾹 눌러 담아주신 장면들이었으니깐요. 촬영 현장도 언제나 그 고민의 연장선이었고요. 수많은 배우와 스태프들과 함께 고민한 결과가 시청자분들에게 만족스러웠기를 바랍니다.

드라마 〈정년이〉는 윤정년이라는 인물이 중심에서 끌어가는 극이니만큼 정년이 캐릭터의 힘이 중요했을 것 같아요. 감독님은 윤정년의 어떤 매력을 가장 부각하고 싶었나요?

정년이는 거칠고 바다 내음이 물씬 나는 캐릭터라고 생각했어요. 목표를 향해 가는 집념이 아주 중요하고요. 첫 회를 읽으면서 50년대의 힘겨운 환경에서 살아가는 정년이가 현대의 여느 여성들과 다르지 않게 목표와 꿈을 확실히 가진 모습이 무척 좋았습니다. 이걸 잘 살려야 우리 드라마에 힘이 생긴다는 확신이 들었습니다.

이런 정년이를 어떻게 살려야 할지 태리 씨와 많은 상의를 했어요. 출연진 중에서 제일 먼저 캐스팅된 배우였고, 그가 가진 본연의 매력을 정년이라는 캐릭터 속에 잘 담아내는 게 중요했습니다. 그 누구보다 도전을 두려워하지 않고 과감한 선택을 하며 꿈을 향해 달려가는 김태리라는 사람이 정년이 그 자체라고 생각했어요. 이 배우의 에너지가 정년이 안에 온전히 담겨 세상에 나올 수 있도록 최선을 다해야겠다고 다짐했습니다.

만인의 왕자님인 인기 스타 옥경 역을 캐스팅할 때 고심했을 것 같아요. 어떻게 정은채 배우를 캐스팅하게 되셨어요? 보통 페미닌한 스타일을 많이 보여줬던 배우인데, 그 배우에게 이런 왕자님의 얼굴이 있었다니!

평소 눈여겨보던 배우였는데 같이 일할 기회가 없었죠. 제일 좋아했던 작품은 〈손 the guest〉와 〈누구의 딸도 아닌 해원〉이었어요. 이 작품으로 만나게 될 거라고는 상상도 못 했습니다.

큰 키와 특유의 분위기가 문옥경이라는 캐릭터를

만나면 반짝반짝할 거라는 확신이 있었습니다. 그리고 처음 만난 날, 보자마자 생각했어요. 우리의 왕자님이 걸어 들어오는구나. ^-^ 그날, 제가 무슨 말을 했는지는 기억이 잘 나지 않고 얼굴만 계속 뚫어져라 쳐다본 것 같아요. 제가 그때 느낀 문옥경의 모습 그대로를 시청자들에게 전달하려 최선을 다했습니다.

무대 위에서 공연하는 장면의 비중이 무척 높은 드라마예요. 공연 장면 연출에 특히 공을 많이 들였다고 들었습니다.

공연 장면들을 촬영할 때는 너무 힘들고 신경 쓸 상황이 많았어요. 이제까지 경험해본 적 없는 장면들이라 촬영하는 게 쉽지 않았고 특히 6부와 7부의 〈자명고〉는 찍다가 집에 가고 싶었던 적이 한두 번이 아니었어요. 배우와 스태프들도 모두 힘들었을 텐데 제가 지쳐 있을 때마다 정말 많은 의지가 되었습니다. 다시는 공연 있는 드라마는 안 해야겠다는 말을 입에 달고 살았었죠.

후반작업을 진행할수록 이걸 보려고 그 고생을 했구나 싶더라고요. 편집본에 음향과 음악을 얹으면서 일반적인 드라마를 할 때보다 더 확대된 방향으로 완성할 수 있다는 걸 확인했습니다. 보통의 드라마 장면을 찍을 때는 촬영과 후반작업을 7대 3 정도의 비중으로 생각했다면, 공연 장면들은 그 비율을 3대 7 정도로 잡고 완성품을 만드는 느낌이었습니다. 국제극장 공연 중에서는 3부의 〈춘향전〉을 완성할 때 후반작업을 통한 가장 극적인 변화를 느꼈습니다. 이런 장르의 드라마에서 소리와 음악이 얼마나 중요한지 큰 배움을 얻었습니다.

그럼 공연 장면 중에서 감독님이 꼽는 명장면은?

가장 힘든 질문입니다. 회차를 여러 번 볼 때마다 저만의 명장면이 바뀌었거든요. 그래도 가장 좋아하는 장면을 꼽자면 〈바보와 공주〉에서 옥경과 혜랑의 마지막 이별, 〈춘향전〉에서 긴장을 떨치고 무대를 처음으로 누비던 광한루 위의 정년이, 〈쌍탑전설〉의 첫 소개를 하는 영서의 달비가 제 최고의 명장면입니다. 특히 달비가 관객들과의 대화로 시작하는 상황은 국극이 전통극의 형태에서 모던한 현대극으로 넘어오는 것을 의도했습니다. 그동안 했던 국극과는 다른 형태로 시작해서 그런지 늘 새로운 기분으로 보게 됩니다.

촬영이 가장 즐거웠던 장면을 꼽는다면요?

10부 엔딩을 찍던 순간입니다. CG나 색 보정 작업으로 일출을 만들기보다 무조건 실제로 해가 뜨는 순간에 맞춰 찍어야겠다고 대본 초고를 보면서부터 마음먹었던 장면이었어요. 스태프들과 몇 달을 고민하면서 마음에 드는 장소를 겨우 구했고, 조수 간만의 차와 날씨를 한 달 전부터 확인하면서 일정을 맞췄습니다.

그.런.데. 꼭두새벽부터 카메라 여섯 대를 설치해놓고 기다리는데 해가 안 뜨는 거예요. 날은 밝아오는데 저 멀리서 두둥실 올라올 해는 보이지 않고 하늘은 구름만 가득 낀 채로 걷히지도 않고요. 이미 예정된 일출 시각은 거의 다 됐고 다들 포기하고 후반작업으로 보완할 방법을 찾자며 장비도 철수를 시작했는데 그때 드디어 해가 뜨는 걸 봤어요. 제가 제일 먼저.

해가 떴다고 미친 사람처럼 외쳤어요. 그리고 철수하던 장비를 스태프들이 서둘러 다시 설치해서 일출을 최대한 다양한 각도로 담아냈어요. 그렇게 용례의 추월만정을 일출과 함께 담을 수 있었습니다. 그날이 제일 즐거웠던 것 같아요.

장면에서 느낀 즐거움은 정자와 용례, 정년이가 함께한 목포 장면들입니다. 첫 촬영이 청산도에 세팅한 정년이의 고향 집 장면들이라 많이 긴장했는데 이미 친해진 배우들 덕분에 기분 좋은 시작을 할 수 있었습니다. 촬영 중에도 그때를 떠올리면서 마음의 고향으로 삼았던 것 같아요. 그래서 그런지 정년이가 떡목이 되어 다시 고향으로 돌아가는 장면에서 저도 괜히 오랜만에 집에 돌아온 기분이 들었습니다. 정작 저는 도시 출신이고 한 번도 그런 곳에 살아본 적도 없는데 말이죠.

시청자들이 꼭 알아봐주었으면 하는 디테일을 하나 꼽는다면?

50년대의 시대 느낌을 구현하기 위해 미술팀이 정말

많은 수고를 했습니다. 시대상을 반영하는 소품들과 길거리 현수막, 무대용 장치, 국극 대본 등 화면에 보이지 않는 곳까지 많은 부분을 열심히 세팅했습니다. 의상과 분장, 머리 스타일도 시대극의 재미를 느낄 수 있도록 수많은 회의를 거치며 만들었습니다. 처음 볼 때보다는 거듭 볼수록 더 자세하게 보일 거예요.

그 당시의 맞춤법이나 표기법을 대본에서도 신경 썼어요. '오디숀' 같은 단어는 철저하게 당시의 발음을 참고했습니다. 작가님이 써주신 부분을 근현대사 자문 선생님과 함께 확인하며 시대 상황을 최대한 반영하려고 했습니다. 사극과는 다르게 사진이나 영상 자료로 확인이 가능한 시대라 구체적인 설정들을 맞추는 데 큰 재미와 골치 아픔이 동시에 있었습니다.

매란국극단의 연구생 친구들은 대본 외적인 개인적인 캐릭터 설정을 배우들에게 직접 해보라고 했습니다. 그리고 각자의 이름을 50년대 느낌으로 지어줬어요. 연출부와 함께 각자의 할머니나 친척 어르신의 이름을 총동원했습니다. 덕분에 저의 할머니와 외할머니 이름도 연구생 이름으로 사용되었습니다.

시대의 흐름에 따라 무대 자체가 없어질 위기에 처하기도 하고. 또 주란은 어쩔 수 없이 극단을 떠나기도 해요. 어쩔 수 없는 당대 현실까지도 담아낸 점이 눈에 띕니다. 이 드라마의 결말은 해피엔딩일까요, 새드엔딩일까요?

해피엔딩입니다. 매란의 국극은 끝났지만, 정년이의 소리와 연기는 계속될 거니깐요. 촬영 막바지가 되면서 정년이랑 영서한테 종종 그런 얘기를 했어요. 〈쌍탑전설〉은 단 한 번의 공연으로 끝났지만, 너희 둘은 아마도 2020년대에 파파 할머니가 되어서도 계속 소리를 하고 연기를 하고 있을 것 같다고. 이 드라마와 함께한 수많은 정년이와 영서들이 언제까지나 오래오래 별천지를 바라보며 자신들의 꿈을 펼치고 있기를 바랍니다.

최효비 작가와의 대화

梅 蘭

대부분의 한국 드라마는 여주인공과 남주인공을 한 명씩 내세우는 투톱 구도잖아요. 그런 구도가 아닌 작품들도 드라마 각색 과정에서 남녀 로맨스 요소가 추가되는 경우가 많고요. 그런데 드라마 〈정년이〉는 그런 선택을 하지 않은 점이 좋았습니다. 메인 배역이 모두 여자입니다. 원작처럼요.

말씀하신 대로 한국 드라마에서 여자만으로 가는 건 이례적인 케이스이긴 합니다. 주위에서 왜 그렇게 했냐는 질문을 많이 받았어요. 하지만 저는 원작을 읽고 나서 드라마로의 각색을 어떤 식으로 해야 하나 고민할 때, 일단 주요 배역 중에 남자 캐릭터를 넣지 않겠다고 결정했습니다. 조력자 롤이든 러브라인이든 남자 주인공을 넣는 순간 그게 안전할지는 몰라도 〈정년이〉 고유의 결을 다 해칠 것이고, 그러면 굳이 〈정년이〉를 하는 의미가 없을 것이라는 생각이 들었어요. 거기다 원작에 배치된 다양한 캐릭터들이 있으므로 굳이 남자

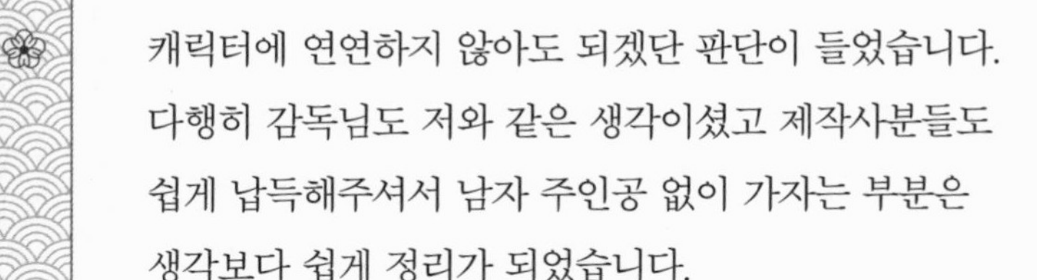

캐릭터에 연연하지 않아도 되겠단 판단이 들었습니다. 다행히 감독님도 저와 같은 생각이셨고 제작사분들도 쉽게 납득해주셔서 남자 주인공 없이 가자는 부분은 생각보다 쉽게 정리가 되었습니다.

작가님이 드라마로 보여주고자 했던 〈정년이〉는 어떤 작품인가요? 한마디로 표현한다면요?

저에게 〈정년이〉는 꿈을 좇는 아이들의 이야기입니다. 드라마를 쓰면서 가장 놓치지 않으려고 했던 두 가지 주제는 첫째, 꿈을 좇는 과정에서의 빛과 어둠, 그리고 둘째, 예술에 있어서 재능과 노력이 어떤 의미를 가지느냐 하는 것이었어요.

1950년대 중후반은 전쟁이 끝난 직후, 가장 궁핍하고 삭막했던 시기였을 것입니다. 이때를 배경으로 꿈을 좇는 아이들의 이야기를 어떻게 현실감을 입혀서 써야 할지, 처음엔 고민을 많이 했습니다. 자칫하면 먹고살기도 힘든 세상에 공허한 이야기를 하는 작품으로 비칠 수도 있으니까요. 그런데 자료 조사를 하던 중 한영수 작가님의 사진집에서 힌트를

얻었습니다. 1950, 60년대를 배경으로 한 사진을 많이 찍었던 분인데요. 사진집을 보고 깜짝 놀랐던 부분이, 인물들의 표정과 몸짓에서 생동감과 활력이 넘쳐흐른다는 점이었어요. 전쟁이 끝난 직후에도 사람들은 다시 건강하게 일상을 살아가고 있었고 웃고 떠들며 희망의 새싹을 틔우고 있었습니다. 그렇다면 이 시대를 배경으로 꿈을 좇는 이야기도 충분히 힘을 가질 수 있겠구나, 확신을 가지게 되었습니다.

말씀하시는 걸 들으니 정년이의 이 대사가 떠오르네요. "먹고살기만도 쎄가 빠지게 힘든 세상에 별천지나 쫓겠다고 하면 미쳤다고 할지도 모르지만…… 근디 저한테는 그 별천지가 고단한 바깥세상을 버티게 해주는 꿈이어라."

'별천지'라는 말이 대본에 꽤 나오죠. 일부러 그 단어를 중요하게 생각하고 썼어요. 매일같이 뻘밭에서 바지락 캐는 목포 소녀 정년의 눈에 서울에서 온 화려한 국극배우들은 그야말로 별천지에서 온 사람들 같습니다. 저 하늘의 별처럼 절대 닿을 것 같지 않은, 그러나 너무도 찬란하게 빛나서 잠시라도 닿고 싶은.

먹고사느라 고생하는 엄마와 언니를 보며 내가 이래도 되는 걸까 고민하고, 내가 이런다고 배우가 될 수 있을까 막막하기도 하고. 하지만 정년이는 결국 그 별천지 속으로 뛰어들기로 합니다. 정년이가 저 드높은 하늘의 별천지 중 하나의 별이 돼가는 과정에 집중하자고 생각했어요.

타고난 소리꾼이라는 설정에 더해, 드라마 속 정년이에게는 한번 들은 대사를 곧장 외우고 재현할 수 있는 연기적 재능 설정도 추가되었는데요. 어떤 과정에서 그렇게 되었나요?

정년이의 연기적 재능이 더욱 강조된 부분은, 정년이라는 캐릭터가 다듬어지지 않은 원석, 껍질을 깨기 전의 천재라는 걸 시청자들에게 어떻게 설명할까 고민하다 집어넣은 장면입니다. 국극이라는 게 뭔지도 몰랐던 정년이가 한번 보고 온 국극을 그대로 재현해낸다면 시청자들도 정년이가 타고난 배우라는 걸 단번에 눈치챌 거란 생각이 들었습니다.

그리고 김태리 배우가 정년이 역을 맡았기 때문에 그렇게 설정하기도 했습니다. 저는 영화 〈아가씨〉에서 김태리라는 배우를 처음 봤을 때의 충격을 아직도 생생히 기억하거든요. 내가 방금 뭘 본 거지……? 싶었어요. 한 번도 본 적 없는 연기였고 충격적이었고 신선했습니다. 〈정년이〉를 할 때도 비슷한 경험이 있었습니다. 같이 〈정년이〉 회의를 하다가 태리 씨가 그 자리에서 즉흥적으로 대본의 대사를 짧게 읽었는데 제가 머릿속에서 상상했던 행간의 느낌을 고스란히 다 재현하더라고요. 그건 대사로도 지문으로도 표현된 적이 없는, 행간에서만 읽을 수 있는 분위기였는데도요. 순간 억, 소리를 얼른 삼켰습니다. 그때 제가 느꼈던 김태리라는 배우의 뜨거운 에너지를, 드라마에서 정년이의 연기적 재능이 나오는 장면에 고스란히 다 집어넣고 싶었습니다.

옥경은 정년이를 국극으로 끌어들이는 데 결정적인 역할을 합니다. 매란국극단 입단 계기로서의 옥경 역할이 원작에서보다 훨씬 강조되었다는 느낌이었어요.

1부를 쓸 때 가장 고민했던 건 모두에게 낯설 여성국극이라는 소재를 어떻게 쉽게 전달할까였습니다.

저 역시도 〈정년이〉 원작을 보고 나서야 여성국극을 알게 되었으니까요. 지금도 우리가 쉽게 접할 수 있는 공연이면 상관없겠지만 아쉽게도 오늘날에는 여성국극을 쉽게 접할 수는 없다 보니 이걸 어떻게 대중들에게 한 방에 전달할 수 있을지 고민했습니다. 그래서 결정한 것이, 문옥경이라는 캐릭터를 여성국극의 대표 격인 유일무이한 인물로 만들자는 것이었습니다. 그의 스타로서의 카리스마, 재능, 신비함, 이 모든 것이 똘똘 뭉쳐서 정년을 여성국극의 길로 이끌고 더 나아가 시청자들을 여성국극으로 빨려들게 할 것이라 봤습니다.

옥경은 정년의 멘토로서 정년을 국극으로 이끌고, 정년은 옥경을 동경하며 국극으로 뛰어들지만 결국 옥경의 영향력에서 벗어나 한 사람의 배우로 당당히 성장합니다.

사실 옥경 캐릭터는 정은채라는 배우의 존재 때문에 더 빛이 날 수 있었습니다. 인기 절정 스타의 카리스마와 신비로움, 이걸 아무리 대본에 자세히 풀어 써놓는다 해도 어떻게 영상으로 구현되느냐는 전혀 별개의 문제입니다. 그런데 정은채 씨를 캐스팅함으로써 많은 부분이 저절로 해결됐지요. 은채 씨는 문옥경과 여러 면에서 맞닿아 있는 배우입니다. 특히 그 분위기! 은채 씨도 직접 만나서 애기해보면 옥경처럼 신비롭고 우아한 분위기가 돋보이는 배우예요. 감독님과 저는 옥경의 애기를 할 때마다 "왕자님……." 하면서 한숨 반, 감탄 반으로 눈을 반짝이곤 했는데 은채 씨가 캐스팅된 후로는 그 증상이 중증에 달했습니다. 사실 지금 이날까지도 감독님과 저는 문옥경과 정은채 씨를 잘 구분하지 못하고 있습니다. 그냥 문옥경=정은채입니다. 〈정년이〉 촬영에 들어가기 전 은채 씨가 카메라 테스트 했던 날을 기억하는데 와…… 정말 옥경이는 다른 차원에 존재하는 왕자님 같았습니다. 이 자리를 빌려 수줍게 고백해봅니다. 사랑합니다, 왕자님.

왕자님이 지닌 '권태로움'의 정서도 눈에 띄었어요. 원작의 옥경에겐 그리 두드러지지 않았던 정서인데.

옥경의 권태를 강조한 것은 두 가지 이유에서였습니다.

첫째, 옥경은 라이벌조차 없는 천재니까요. 동시대에 그와 경쟁할 수 있는 상대가 없고, 정년과 영서가 실력이 늘기 전까진 그의 자리를 위협할 후배조차 없었습니다. 자극도 없고 위협도 없는 상황, 마치 어두운 심연 속에 혼자 가라앉는 듯한 기분일 거란 생각이 들었습니다. 둘째, 당시는 여성국극이 조금씩 쇠퇴하던 시기입니다. 옥경이 그 분위기를 몰랐을 리 없고 더구나 반복된 레퍼토리를 연기하는 데 회의를 느끼는 배우이니 당연히 권태를 느꼈으리라고 봤습니다. 옥경은 늘 새로운 자극에 목마름을 느끼고 있었고 그래서 자연스레 새로운 매체를 향해 떠날 거라고 생각했어요. 등장인물들의 앞날에 대해 감독님이랑 종종 상상해보곤 했는데요. 옥경은 아마 영화 쪽을 가서도 성공했을 것이다, 한번 국극을 떠난 옥경은 두 번 다시 국극 판을 돌아보지 않고 자신의 길을 뚜벅뚜벅 갔을 것이다…… 뭐 이런 상상을 둘이서 해봤습니다.

옥경이 라이벌의 부재로 괴로워한다면, 영서는 느닷없는

라이벌 정년의 등장으로 괴로워하죠. 복잡미묘한 라이벌 관계의 양상이 〈정년이〉의 포인트 중 하나인 것 같습니다.

정년과 영서의 관계성에 대해서는 정말 대본 쓰기 전부터, 쓰는 동안에도, 쓰고 나서도 많이 고민하고 또 고민했습니다. 때로는 영서가 정년이 때문에 열등감을 느끼며 괴로워하고, 때로는 정년이가 영서 때문에 불안해하고 힘들어합니다. 둘은 늘 비교당하고 죽을 듯이 괴로워하지만, 결국 서로의 존재가 좋은 자극이 되었다는 걸 어느 순간 깨닫게 되죠. '아, 내 실력이 이렇게 빨리 늘었던 건 네가 있어서였구나.' 영서가 오직 정년이만이 자신의 힘든 속을 알아준다고 토로하는 장면이 있는데 이건 정말 좋은 라이벌 관계에서만 할 수 있는 대사라고 생각했습니다. 단순히 친구만도 아닌, 그렇다고 적도 아닌, 오직 선의의 라이벌에게만 가질 수 있는 유대감이에요.

관계가 발전해가는 과정은 늘 미묘하며 섬세해야 합니다. 그게 관계성을 쓸 때 가장 어려운 점이에요. 작은 뉘앙스 차이만으로도 둘 사이는 이전과는 전혀 다른 관계로 나아가죠. 그리고 셋의 관계는 더

미묘합니다. 둘의 관계가 발전하면 나머지 하나가 즉각 영향을 받으니까요. 그 부분을 늘 신경 썼습니다. 하다못해 호칭조차도, 영서는 줄곧 '윤정년'이라고만 부르다가 목포로 정년이를 찾아간 이후로는 '정년이'라고 부릅니다.

목포까지 정년이를 찾아가는 것도 그렇고, 어떤 면에선 주란만큼이나 정년이를 많이 챙겨주는 사람이 영서네요.

그게 바로 영서의 단단함이에요. 영서는 다른 누군가가 라이벌인 정년을 해코지하려는 걸 유독 싫어합니다. 드라마 내내요. 정년이가 최고의 컨디션으로 좋은 연기를 보여줄 때 정정당당하게 붙어서 이기겠다, 이게 영서의 변함없는 뜻이거든요. 정년을 비겁하게 이기는 데에는 전혀 뜻이 없죠. 사실 정년과 영서의 관계성을 그리는 데는 고민을 많이 했지만 영서 캐릭터 자체는 쓸 때 참 쉽고 재미있었어요. 영서에겐 고고한 자존심이 있습니다. 실력으로는 그 누구에게도 지지 않을 자신이 있다는 겁니다. 그런 영서의 오만하고 도도한 태도는 쾌감마저 느껴집니다.

그래서 영서가 정년의 천재성 앞에 좌절하는 신을 쓸 때 마음이 많이 아팠습니다. 영서가 얼마나 정면으로 승부했고, 얼마나 산산이 부서졌는지 아니까요. 하지만 바로 그렇기에 영서는 대결에서 져도 계속 나아갈 힘이 있다고 생각했습니다. 영서는 분명 그 누구보다 단단하고 깊은 소리를 하는 예인이 되었을 것입니다.

소복과 공선도 어린 시절 선의의 라이벌이었죠. 드라마에선 두 사람의 어린 시절 이야기를 더 많이 만나볼 수 있어서 좋았어요.

정년과 영서가 끊임없이 경쟁하고 갈등하면서 나아가듯 소복과 공선도 그랬을 것이라는 생각이 들었습니다. 만인에게서 천재라고 칭송받았던 공선은 좌절을 겪고 소리를 등져버리지만 공선의 그림자에 가려졌던 2인자인 소복은 끝까지 예인의 길을 걸어갑니다. 지금은 모든 풍파를 겪고 경지에 다다른 듯한 소복이지만 과거 그녀도 공선의 천재성을 눈앞에서 목격하며 죽도록 괴로웠을 것이고 그럼에도

그 재능을 인정할 수밖에 없었겠죠. 공선이 있기에 소복의 소리 역시 깊어졌을 거라고 상상했습니다.

소복과 공선의 관계는 쓸 때도 정말 재미있었습니다. 둘 사이의 미묘한 애증, 이건 정년-영서와는 또 결이 달랐으니까요. 게다가 문소리 배우와 라미란 배우라니. 두 배우가 캐스팅되고 나서 저는 어깨춤을 췄어요. 작가로서 이 두 배우와 동시에 작업할 수 있다니, 로또 맞은 거죠. 아니나 다를까 두 분이 붙을 때마다 어마어마한 에너지가 나오더군요. 특히 목포에서 두 사람이 지난날의 앙금을 털어내며 눈물로 이야기하는 장면, 정말 좋아합니다. 두 배우의 깊은 눈빛이 그 장면의 많은 것을 설명합니다. 산전수전 다 거친 두 친구가 마주 앉아 회한과 슬픔, 격정 속에서 이야기하는데…… 편집본을 보면서 제가 그 촬영 현장에 있지 못한 게 한스러울 정도였습니다.

예술을 하는 데 있어서 재능과 노력이 어떤 의미인가, 라는 질문을 드라마의 핵심 테마 중 하나로 잡았다고 아까 말씀하셨죠. 2인자였으나 끝까지 예인의 길을 걸어가는 소복

캐릭터가 중요했을 것 같아요.

맞아요. 사실 저는 예술에서 노력이라는 게 과연 소용이 있을까를 수도 없이 고민했었어요. 아마 저뿐만 아니라 예체능 쪽에 몸담은 사람들은 다 같은 고민을 해봤을 거예요. 내가 수년간 노력해도 가질까 말까 한 무엇인가를, 빼어난 재능을 가진 누군가는 단 몇 달 만에 쟁취하기도 하니까요. 하지만 정말로 예술에서 가장 중요한 것은 재능일 뿐일까? 노력이란 것은 아무 소용이 없는 걸까? 그렇지는 않다는 생각이 들었습니다. 사실 동시대의 천재를 보는 일은 너무나 괴롭고 힘들지만 동시에 짜릿하고 흥분되는 경험이기도 합니다. 그리고 어느 순간 나는 나만의 길을 가야 한다는 걸 깨닫게 돼요. 인생은 길고, 특히 예인의 일생은 길고, 갈 길은 머니까요. 멀고 험한 길, 긴 호흡으로 한 걸음 한 걸음 가다 보면 다다를 수 있는 경지, 그것을 소복과 영서의 캐릭터를 통해 말하고 싶었습니다.

라이벌 관계 못지않게 〈정년이〉에서 도드라지는 것이 애정

관계입니다. 국극 무대 밖에서의 입맞춤이 두 번 나오는데요. 주란과 정년, 혜랑과 옥경, 두 커플 모두 공교롭게도 작별의 입맞춤이네요.

주란은 국극단에 들어온 정년을 향해 가장 먼저 따뜻하게 웃어준 사람이었죠. 벗이 된 두 사람의 감정은 점차 미묘하게 변해갑니다. 둘의 관계에 있어서 가장 중요한 지점은, 주란이 떠나고서야 정년이가 자신의 감정을 깨닫는다는 점이에요. 주란은 자신이 정년을 사랑한다는 것을 이미 알고 있었습니다. 그래서 불안해하고 두려워하다가 마지막 순간에야 정년에게 입맞춤을 하게 되었어요. 둘의 비극은 입을 맞춘 그 순간에 이르러서야 정년이가 자신도 주란을 사랑한다는 걸 알게 된다는 것입니다. 아…… 우정이 아니었구나. 하지만 깨달은 그 순간에 정년이가 할 수 있는 일은 아무것도 없죠. 그래서 둘의 풋풋하고 서툴렀던 첫사랑은 슬픕니다. 한 가지 분명한 것은 정년도, 주란도, 결코 서로를 만나기 이전으로는 돌아갈 수 없다는 것.

혜랑과 옥경은 그야말로 온갖 애증이 겹친

관계입니다. 둘은 기생인 시절부터 함께했죠. 옥경이 아편에 중독된 시절에도 혜랑은 옥경의 곁을 떠나지 않았습니다. 아편을 끊은 옥경이 국극배우가 되자 혜랑도 망설임 없이 국극으로 뛰어듭니다. 둘은 매란의 개국공신이자 왕자님, 공주님이었습니다. 혜랑은 불안형입니다. 옥경의 사랑을 의심하며 늘 확인하고 싶어 하고 매란을 옥경과 자신, 둘만의 파라다이스로 만들고 싶어 합니다. 혜랑에게 주인공 자리란 옥경과 함께 왕자와 공주로서 설 수 있는 무대를 의미하기도 해요. 그래서 후배들이 자신들의 자리를 위협하는 것을 용납하지 못합니다. 옥경은 혜랑을 많이 사랑하기에, 혜랑이 변해가는 걸 눈치챘으면서도 서글프게 지켜보며 그녀의 곁을 떠나지 못해요. 옥경의 성격상 정이 식었으면 그 즉시 헤어졌겠죠. 하지만 위태하게 이어가던 그들의 관계는 결국 정년의 목이 꺾이는 사건을 계기로 깨어지게 됩니다. 헤어질 때 옥경이 혜랑에게 입을 맞추는 건, 가장 뜨거웠던 시절의 열정은 사라지고 연민과 슬픔만이 남은 키스입니다. 아마 혜랑은 마지막 입맞춤의 기억을 평생 가슴 아프게

기억하고 살겠지요.

혜랑이 빌런으로서의 요소를 갖고 있긴 하지만 사실 저는 혜랑을 빌런이라고 생각하고 쓰지 않았어요. 혜랑은 단지 사랑하는 사람에게서 사랑받고 싶었고 그 사람이 떠나갈까 봐 늘 불안에 떨던 어린아이였습니다. 우리 모두는 옥경의 입장보다는 혜랑의 입장에 놓일 때가 많죠. 그래서 후반부 혜랑이 무너져가는 부분은 악독함보다는 처절함에 방점을 찍고 썼습니다. 혜랑이 몸부림을 치면 칠수록, 간절하면 할수록 옥경의 마음은 떠나갈 수밖에 없는 아이러니, 이건 비극이니까요.

혜랑-옥경 커플은 마지막엔 헤어졌을지언정 한때는 서로 사랑했던 사이라는 걸 분명히 알겠는데, 사실 정년-주란의 경우는 쌍방인지 짝사랑인지 좀 헷갈렸거든요. 정년이가 자신의 감정을 자각하지 못하고 있었다는 설정이었군요? 뒤늦게야 자신의 마음을 깨달은 거고요.

네. 주란은 정년과 함께 〈자명고〉를 연습한 후로 표정이 가라앉기 시작하죠. 정년에게 느낀 떨림이 한순간에 지나가버릴 감정이 아님을 직감한 것입니다. 하지만

정년은 그런 감정에는 둔해서, 주란의 떨리는 눈빛이 뭘 의미하는지 그때는 미처 알지 못합니다.

그래서 11부를 쓰는 것이 정말 힘들었습니다. 둘 사이의 모든 대화가, 주란이 의미하는 바와 정년이 의미하는 바가 다릅니다. 감정을 자각한 자와 자각하지 못한 자의 대화는 그럴 수밖에 없습니다. 정년의 한마디 한마디는 주란의 살갗을 뚫고 심장에 와 박힙니다. "내가 널 어떻게 미워한대. 나 이 국극단 처음 들어왔을 때 제일 먼저 웃어준 것이 너였는디." 정년이 주란에게 하는 이런 말들이요.

외로웠던 정년에게 주란은 늘 소중했어요. 주란에게 정년도 그랬고요. 주란이는 매란을 떠났지만, 어디서든 잘 살 거라 믿어요. 이미 주란은 많이 단단해졌으니까요. 하지만 문득문득 정년을 떠올리며 가슴이 많이 시릴 거예요. 두 사람이 서로를 기억하는 한, 그리고 정년이 주란의 꿈까지 안고 무대에 오르는 한 둘은 영원히 함께할 겁니다. 매란국극단에서 함께 울고 웃던 이 소녀들을 오래오래 기억해주세요.

모녀 관계도 짚어보고 싶습니다. 정년과 용례, 이 모녀의 서사가 드라마에선 한층 두터워진 것 같아요.

원작에서 용례도 한때는 소리 천재였다는 설정이 무척 흥미로웠어요. 용례는 정년의 어머니인 동시에 정년의 선배이기도 한 거니까요. 이 모녀 관계를 끝까지 깊이 파고들어 봐야겠다고 생각했습니다.

용례는 딸 정년이가 소리에 가지는 열망이 얼마나 뜨겁고 위험한 것인지를 누구보다 잘 알고 있습니다. 용례는 좌절한 천재이고, 열망의 대가로 폐인이 됐었기 때문에 딸에게만은 같은 과거를 물려주고 싶지 않죠. 오직 용례만이 정년이가 바닥으로 떨어졌을 때 앞으로의 길을 제시해줄 수 있는 사람이라는 생각이 들었습니다. 그래서 용례가 정년의 꿈을 받아들이는 서사가 매우 중요했습니다. 그건 단순히 딸의 꿈과 재능을 인정하는 것을 넘어서, 용례가 트라우마로 지니고 있던 과거의 실패했던 자신을 마침내 받아들이고 용서하는 과정을 의미하기도 하니까요. 이 모녀 관계를 함축하는 곡이 바로 추월만정입니다. 공선과 정년의 천재성을 상징하는 곡이기도 하고요.

추월만정은 심청이가 아버지를 그리워하면서 부르는 노래지만, 〈정년이〉에서는 모녀 관계를 함축하는 곡인 거네요.

그렇죠. 용례가 딸 정년의 꿈을 받아들이며 바닷가에서 추월만정을 부르는 10부 엔딩 신과 정년이 꺾인 목으로도 다시 소리를 할 수 있다며 사람들 앞에서 추월만정을 부르는 11부 신은 두 모녀가 서로를 완전히 이해하게 되는 순간이에요. 두 사람이 마침내 아픔을 딛고 한 걸음 성장하는 순간이기도 합니다. 같은 곡이라도 부르는 사람의 변화에 따라 얼마나 더 깊어질 수 있는지를 보여주는 장면이니까요. 용례도, 정년이도 목이 꺾이기 전 추월만정을 테크닉적으로 더 수월하게 불렀겠지만, 그 곡의 한 서린 슬픔을 더더욱 깊이 담아낸 건 목이 꺾인 후라고 생각했습니다.

물론 어린 공선이 부르는 추월만정은, 공선-공선 부의 애달픈 부녀 관계를 함축합니다. 공선 부 역시도 한평생 소리판에 몸담았던 사람이기 때문에 딸 공선이 소리하는 것을 마뜩잖아합니다. 딸이 그저 평범하고 소박한 인생을 살기를 바라기 때문이죠. 공선이 정년에게 그러는 것처럼요.

촬영 현장에서, 상상했던 것 이상으로 배우가 근사하게 구현해주어서 기뻤던 대사가 있을까요?

"성공 못 해도 자꾸 집 생각나고 서러운 생각 들면 돌아와. 내가 밤에도 문 안 잠글랑게." 1부 마지막 부분, 정자의 대사가 떠오르네요. 원작에선 정년에게 동생만 있었는데, 저는 언니로 바꾸었어요. 둘이 또래여야 서로가 가진 슬픔을 더 깊이 공유할 거라고 생각했습니다.

정자는 더할 나위 없이 착한 언니죠. 속 깊은 장녀고요. 하지만 정자는 꿈이라는 것이 뭔지 잘 이해하지 못합니다. 하루하루 먹고사는 데 치여서 그런 걸 생각할 겨를이 없으니까요. 그럼에도 정자는 정년이가 얼마나 간절한지, 그것만은 잘 알기에 정년이의 꿈을 누구보다 응원해줍니다. 정자가 서울로 정년을 떠나보내며 말하는 저 이별의 대사를, 저는 제가 먼저 울지 않으려고 누르면서 썼어요. 푸르른 꿈을 향해 도전하려 할 땐 설레기도 하지만 동시에 불안하기도 하잖아요. 그런 순간에 가족이 저런 말을 해주었으면 했어요. 성공 못 해도 괜찮다, 힘들어지면

언제든 집으로 돌아와라.

정자 역 오디션을 본 배우들도 이 대목에서 울었다고 하더군요. 사실 자기도 그런 이야기 듣고 싶었다고요. 어떤 연기로 나올까 궁금했는데…… 정자 역 오경화 배우는 실로 놀라운 배우였습니다. 모든 장면을 힘주지 않은 듯하면서도 깊이가 있게 연기하더라고요. 정자의 대사를 쓰면서 제가 생각했던 애달픈 느낌들, 애틋한 감정들을 오경화 배우가 200프로 다 표현해주었습니다. 편집본을 보면서 매번 감탄했어요.

꿈을 이해하는 것과 응원하는 것은 별개라는 것을, 정자라는 캐릭터가 정말 감동적으로 보여주었어요. 정자 이야기가 나온 김에, 가장 애정이 가는 조연 캐릭터를 딱 한 명만 꼽아본다면요?

모든 캐릭터를 사랑하지만 초록이에게 마음이 많이 갑니다. 초록이는 정년이나 영서에 비해서 아주 뛰어난 자질을 가지지는 않았습니다. 초록이 스스로가 그걸 너무나 잘 알죠. 하지만 잘해내고 싶은 간절한 마음은

누구 못지않아요. 어찌 보면 평범한 사람들이 예술을 하면서 느끼는 자괴감을 초록이가 대변해준다고 생각합니다.

초록이가 초반에는 정년이에게 정말 못되게 구는데, 이런 캐릭터가 나중에 정년이랑 가까워지면서 극적으로 변화하는 걸 쓰는 게 재미있었어요. "난 너처럼 타고난 천재도 아니고, 영서처럼 기본기가 탄탄한 것도 아니고, 주란이처럼 숨겨둔 실력이 있는 것도 아니지만, 그치만 나도 잘해내고 싶어!" 초록이가 정년이한테 같이 오디션 보자고 말하는 이 부분은 대본을 쓸 때도 좋아하는 장면이었고 나중에 편집본을 봤을 때도 정말 맘에 들었어요. 승희 씨가 연기를 너무 잘했거든요.

사실 승희 씨는 초록 역 오디션 영상을 봤을 때부터 정말 잘해서 눈이 번쩍 뜨인 배우였습니다. 이 배우라면 초록이의 섬세한 심리 변화, 초록이의 욕망을 제가 굳이 설명해주지 않아도 알아서 잘 연기할 거란 믿음이 갔습니다. 실제로도 그랬고요.

그럼 작가로서 가장 아끼는 대사를 꼽는다면?

정말 많네요…… 꼽기가 어려운데…… 음…… 주란의 말을 꼽아보겠습니다.

"정년아, 넌 다 잊어버리고 살아도 돼. 대신 내가 다 기억할게. 평생 맘 불편하게 살게. 너 생각할 때마다 맘 아파하면서 살 거야."

정년의 곁을 영영 떠나야 하는 주란이 해줄 수 있는 유일한 한 가지는 정년과의 기억을 평생 끌어안고 사는 것이에요. 정년이가 조금이라도 덜 괴로워하길 바라기에, 너는 다 잊더라도 기억하는 일은 내가 할게, 라고 말합니다. 처음엔 연약한 코스모스 같았던 주란이, 늘 정년이에게 의지해온 순하디순한 주란이 마지막 이별의 순간에서만큼은 정년이보다 조금 더 의연해야 한다고 생각했습니다. 그 순간 감당할 수 없는 슬픔을 맞닥뜨린 정년이가 기댈 사람은 오직 주란밖에 없었으니까요.

혹시 시청자들이 알아봐주었으면 하는 소소한 디테일이 있을까요?

아, 아까도 언뜻 말씀드렸는데 영서가 정년이를 부르는 호칭 변화요. 정말 영서다운 변화입니다. 그리고 호빵에 대한 정년이의 귀여운 집착!

드라마의 결말에 대한 이야기도 해볼까요. 매란의 마지막 공연임이 암시되는 분위기예요. 거대한 시대의 흐름에 떠밀려 쇠퇴하는 여성국극의 미래가 보이는 듯하죠. 그런데도 어쩐지 무척 희망차고, 밝은 느낌입니다. 작가로서 결말을 어떤 분위기로 끌어가고자 했는지.

여성국극이 10여 년 동안의 전성기를 보내고 쇠퇴한 것은 맞습니다. 실제로 벌어진 역사적 현실을 모두가 알고 있는 상황에서, 결말이 마냥 희망찰 수만은 없었어요. 그렇다고 마냥 비관적이고 싶지도 않았습니다. 〈정년이〉는 꿈에 대한 이야기니까요. 그래서 결말의 톤을 어떻게 잡을까 고심했습니다. 매란이 사라진다 하더라도, 매란의 아이들이 고군분투했던 그 모든 시간이 물거품이 되는 것은 아닙니다. 결국 아이들은 〈쌍탑전설〉 공연을 끝내주는 공연으로 만들고 싶어 합니다. 이 공연이 마지막 공연이든 아니든, 여성국극의 앞날이 어찌 되든, 눈앞의 무대에 최선을 다하죠. 그 순간의 희열은 공연을 보는 관객들에게도 전해집니다. 공연을 올리는 아이들의 흥분, 희망, 정년이가 왕자로 등극하는 순간의 환희가 시청자들에게 고스란히 전달되기를 바랐습니다.

그럼 작가님에게 이 작품은 해피엔딩일까요?

네, 해피엔딩이라고 생각합니다. 인생도, 무대도 어떤 형태로든 계속되니까요.

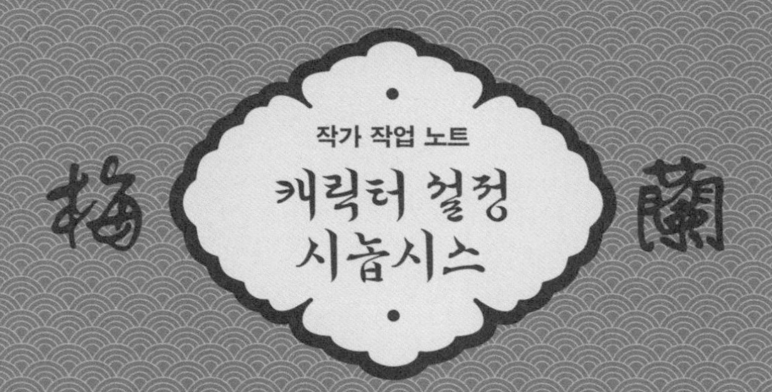
작가 작업 노트
캐릭터 설정
시놉시스
梅
蘭

매란국국단 안 사람들

윤정년

"엄니 손에
죽을 때는 죽더라도
지금은 하고 잪은 걸
해야겄소."

판소리 천재 소녀. 타고난 음색, 풍부한 음량, 고음과 저음을 자유자재로 넘나드는 넓은 음역대, 사무치는 감정 표현까지 그야말로 소리꾼의 바탕을 골고루 다 갖추고 있다. 정년이는 어릴 때부터 소리하기를 좋아했다. 마음먹은 대로 소리가 죽죽 나오는 것도, 사람들이 내 소리를 듣고 반응해주는 것도 다 짜릿하고 기분 좋은 일이었다. 하지만 무슨 이유에서인지 엄마 용례는 정년이가 소리하는 것을 극도로 싫어했다. 정년이가 소리를 할 때마다 눈물이 쏙 빠지게 야단을 치고, 종아리에 매질을 했다. 그래도 정년이는 소리하는 것이 좋아서 엄마의 눈을 피해 소리를 한다. 시장 바닥에서 소리를 하면 쏠쏠하니 용돈벌이까지 되는데 엄마는 도대체 왜 그러는 걸까.

소리만 잘하는 것이 아니다. 야무지기로 소문나서 바지락도 잘 캐고, 생선도 잘 팔고, 뭐든 마음먹은 일이면 악착같이 해낸다. 사막에 열 번 갖다 떨어트려 놔도 열 번 다 살아남을 무서운 생활력과 악바리 근성을 갖고 있다. 마음에 그늘이 없고 넉살도 좋아서 누구와도 친구가 될 수 있는 무서운 친화력의 소유자이기도 하다. 그리고…… 정년이 자신도 몰랐던 재능이 하나 더 있었으니 그건 바로 연기. 어떤 역할이든 무섭게 몰입해서 보는 사람을 사로잡는 연기를 할 줄 알지만 정년이는 아직 그걸 모른다.

열아홉이 될 때까지 정년이의 세상은 목포가 다였고, 소원이라고는 그저 삼시 세끼 끼니 걱정 안 하는 거였다. 그런 정년이의 손바닥만 한 작은 세상은 서울에서 내려온 국극배우 옥경을 만나면서 뒤집혀버린다. 난생처음 국극 공연을 보고 상상도 못 한 세계에 푹 빠져버린 거다. 우여곡절 끝에

매란국극단에 들어간 정년의 목표는 이제 단 하나다. 문옥경처럼 국극단의 남역이 되는 것. 하지만 그 시작부터 만만치가 않다. 옥경의 총애를 받는다는 이유로 모두의 미움을 한 몸에 받게 된 데다, 룸메이트 영서는 쌀쌀맞고 도도하기가 북풍한설 같으니. 그나마 따뜻하게 대해주는 건 주란뿐이다. 게다가 영서가 소리하는 걸 듣고는 움찔 놀랄 수밖에 없었다. 나도 평생 소리라면 자신 있었는데. 허영서, 잘난 척할 만하구나……. 예상치 못했던 난관들에 부딪혀가는 정년, 과연 무대라는 별천지에서 빛나는 단 하나의 별이 될 수 있을까?

허영서

19세

매란국극단 연구생

"네 상대역인
내 실력이 좋았던 거지,
네 실력이 좋았던 게
아니라고!"

도도한 얼음 공주. 절대 먼저 마음 열어 보이는 일 없고, 마음 주는 법도 없다. 자존심과 오만함을 철갑처럼 두르고 힘들수록, 괴로울수록 고개는 더 빳빳이. 국극단 단원들은 영서를 '성골 중의 성골'이라고 부른다. 아버지는 의과대학 학장에 어머니는 유명 소프라노, 언니 영인 또한 지금 핫하게 떠오르는 소프라노. 부와 명예, 교양을 두루 갖춘 집안의 둘째 딸이 바로 영서다.

영서도 언니처럼 어렸을 때부터 성악을 배웠지만 일찌감치 깨달았다. 성악으로는 언니를 넘어설 수

없다는 것을. 이렇게 평생 언니의 그늘에 있다가는 엄마의 사랑을 평생 받아보지 못하리라는 것도. 영서는 성악을 포기하고 명창의 밑으로 들어가 판소리를 배웠다. 뼈를 깎는 노력 끝에 스승에게서도 인정받는 실력을 갖추게 되었다. 그즈음 국극을 접하고 국극의 매력에 빠져들게 된다. 엄마는 쌍수를 들고 반대했지만 영서는 기어이 국극단에 들어와버렸다.

하지만 영서는 여전히 엄마의 인정을 간절히 바라고 있고, 엄마의 따뜻한 격려 한마디가 아쉽기만 하다. 성악 신동이었던 언니가 이름난 소프라노로 커가면서 엄마의 사랑을 듬뿍 받는 것이 마냥 부럽고 질투가 난다. 언젠가 내가 국극에서 남역을 맡으면 엄마가 나를 자랑스러워할까. 언니를 볼 때처럼 그런 따뜻한 눈으로 나를 봐줄까. 오로지 그날을 향해서 영서는 매분 매초를 치열하게 살고 있다.

사실 영서는 늘 뭔가에 쫓기는 듯한 기분이다. 노래, 춤, 연기 테크닉은 뭐 하나 빠지는 것 없이 탄탄한 기본기를 갖추었지만 영서는 자신의 약점을 언젠가부터 늘 의식하고 있었다. 그건 바로 역할에

푹 빠져서 몰입하지 못한다는 것. 무대에 올랐을 때 즐길 수가 없다는 것. 그런 영서의 콤플렉스를 사정없이 자극하는 상대가 바로 정년이다. 기가 막힌 소리 실력도 그랬지만 연기! 정년의 연기를 보고 영서는 뒤통수를 한 대 얻어맞은 기분이었다. 마치 맡은 배역과 한 몸이 되어버린 것 같았던 정년의 연기. 자신은 지금까지 한 번도 해보지 못했던 그런 몰입과 집중을, 국극을 이제 막 시작한 정년은 해내고 있었다. 영서는 있는 힘껏 정년을 무시하고 싶지만, 그럴수록 정년의 무서운 재능에 불안해진다. 그리고 미워진다. 내 노력의 무게는 정말 정년이의 타고난 재능 앞에서는 무의미한 것일까? 하지만 영서는 아직 자신의 잠재력을 반의반도 모르고 있다.

강소복

"난 안 하겠다는 사람
억지로 붙잡고 가르치지 않아.
아무나 예인의 길을
갈 수 있는 게 아니니까."

매란국극단 단장
43세

서늘한 카리스마의 소유자. 10여 년 전, 명창으로 이름을 날리던 시절 무슨 여자들끼리 창극을 하겠다는 거냐, 라는 비웃음과 의구심을 뒤로하고 여성 국악인들을 모아서 과감하게 매란국극단을 차렸다. 매란국극단은 공연마다 매진 행렬에 암표까지 팔릴 정도로 현재 여성국극단 중 제일가는 인기를 끌고 있다.

칼같은 성격으로 빈말은 절대 하지 못한다. 기면 기고 아니면 아니다. 제자들에게 엄격하지만, 자기 자신에게는 훨씬 더 엄격하다. 답답할 정도로 고지식하고 굽히느니 부러져버리겠다는 대쪽 같은 성격. 그 성격 때문에

시류를 민감하게 따라잡지는 못하지만, 또 그 성격 때문에 단원들의 든든한 버팀목이 되어준다. 국극단 단원들을 아끼고 사랑하지만 잘 내색하지 않는다.

어렸을 때 국창으로 불리던 임진에게서 소리를 배웠었다. 그때 같이 소리를 배웠던 것이 채공선(서용례). 나름 신동으로 불리며 소리에 자신이 있었던 소복이지만 어느 날 갑자기 나타난 공선의 천재성 앞에 자신이 자꾸만 초라해짐을 느낀다. 하지만 공선의 추월만정을 듣고 눈물을 흘린 그날 이후론 더 이상 공선을 미워할 수 없었다. 자신에게 열패감을 안겨준 그 재능을 인정하지 않을 수 없었던 것. 이후 둘은 절친한 사이가 되었지만 어느 날 목소리를 잃은 공선이 멀리 떠나갔고, 소복은 혼자서 예인의 길을 걸어갔다.

많은 세월이 흐른 지금, 정년이란 아이가 소복의 앞에 나타난다. 소복은 공선에게서 느꼈던 전율을 정년에게서 느낀다. 그리고 정년이 공선의 딸임을 직감한다. 만약에 공선에게 벌어졌던 그 일이 정년에게도 벌어지면 어떡하나. 밀어내고 싶다, 아니, 그럼에도…… 저 재능을 내 손으로 키워보고 싶다.

문옥경

"아시잖아요.
전 지루한 걸
제일 견디지 못해요."

매란국극단 단원
34세

매란국극단의 남자 주연을 도맡고 있는 현시대 최고의 국극 왕자님. 아니, 황태자님! 언제나 느긋하고 속을 알 수 없는 포커페이스다. 가장 가까이 있는 혜랑도, 예리한 소복도, 옥경의 속을 완전히 읽어내지 못한다.

국극배우를 하기 전에는 기생이었다. 아편굴을 전전하며 헤매고 있을 때 평소 옥경의 재능을 눈여겨보던 소복이 국극이란 걸 해보지 않겠냐고 제의했고 옥경은 그길로 아편을 끊고 국극에 매진했다. 국극배우로 대성공한 지금은 가마니로 돈을 쓸어 모은단 소문이 있을 정도. 남역을 기가 막히게

소화해서 숱한 여성 팬을 몰고 다닌다.

특히 섬세한 멜로 연기에 능해서 여성 관객들은 옥경의 상대역이 자신이라고 상상하며 무대를 본다. 그리고 옥경의 눈빛, 손짓 하나에도 설레서 어쩔 줄 몰라 한다. 옥경 때문에 가출은 기본에 자살 소동을 벌이는 여성 팬도 여럿이었고 심지어 가짜 결혼식이라도 좋으니 결혼해달라는 팬의 간청에 결혼사진을 찍는 소동까지 있었다.

빼어난 연기력과 스타성으로 국극배우 정상의 자리에 군림하고 있지만 옥경은 어느 순간부터 끝없는 권태와 허무함을 느낀다. 반복되는 레퍼토리와 비슷비슷한 캐릭터. 대적할 라이벌도 없으니 그 무엇에서도 자극을 받지 못한다. 옥경은 늘 그랬다. 익숙해지면 지루해졌고, 지루해지면 숨이 막혔다. 사람이든 국극이든 흥미를 잃은 대상에게는 더 이상 미련을 두지 않고 바로 돌아서서 떠나버리는 냉정한 면을 갖고 있다.

정년이를 만나고부터 오랜만에 심심하지 않은 옥경이다. 언젠가 정년이 자신의 왕자 자리를 넘보게 되길 기대하며, 정년에게 국극이란 별천지를 열어준다.

서혜랑

"후배들이 하나씩
치고 올라오는데
태연할 사람이 어딨어요.
내 자리 뺏기고 그대로 밀려날
등신이 어딨냐고요!"

34세
매란국극단 단원

매란에서 여자 주연을 도맡고 있는, 국극단의 공주님. 춤에 있어서 타의 추종을 불허하는 실력을 갖고 있으며 우아하고 나긋나긋한 자태를 갖고 있다. 눈치가 빠르고 교활할 정도로 머리가 잘 돌아간다. 딸이 하나 있지만 대외적으로는 조카라고 알려두었다. 딸 은재에게는 집 안에서나 밖에서나 이모라 부르라고 단단히 일러뒀다.

한때 기생이었고 옥경과 같은 기방에 있었다. 옥경이 국극단에 들어갔을 때 혜랑도 기방을 나와 같은 국극단에 들어갔다. 오직 옥경과 함께 있기 위해서. 국극이 간절하게 하고 싶었다거나 큰 포부가 있었던

건 아니었지만, 혜랑 또한 예인으로서의 재주를 갖추고 있었기에 빠르게 국극배우로 커나갈 수 있었다.

옥경이 없는 매란국극단은 혜랑에게 있어서 빈껍데기일 뿐이다. 그러니 매란국극단의 주연은 언제까지나 옥경과 자신이어야 하며 그 누구도 둘의 자리를 위협해선 안 된다. 조금이라도 옥경에게 위협이 될 만한 재목이다 싶으면 경계하고 은밀하게 밟아버린다. 요즘 들어 옥경의 눈이 한 번씩 공허하게 빛을 잃을 때마다 가슴이 덜컥 내려앉는다.

영서의 약점과 한계를 빠르게 눈치챘으며, 옥경의 자리를 위협하지 않을 거라고 판단했기에 겉으로만 영서를 밀어주는 척한다. 정년 또한 뚜렷한 한계점 때문에 커나가기 쉽지 않을 거라고 판단하지만, 옥경의 지나친 관심이 마음에 들지 않아 본능적으로 경계하고 질투한다. 그러나 이렇게 옥경에게 집착하고 옥경을 욕망할수록, 어쩐지 상황이 원치 않는 방향으로 굴러가는 것만 같다…….

홍주란

"언젠가 너는 남자 주인공으로,
나는 여자 주인공으로
무대 위에 마주 보고 서서
연기해보자."

19세
매란국극단 연구생

내성적이고 소심한 듯 보이지만 한번 마음먹으면 주위를 놀라게 할 정도로 용감하고 강단이 있다.

주란의 집은 가난하고 언니는 폐병을 앓고 있다. 주란은 원래대로라면 한 푼이라도 더 벌어서 집안 살림과 언니 약값에 보태야 맞았다. 하지만 매란국극단의 공연을 본 뒤로 주란은 국극배우가 되고 싶다는 일념 하나로 집을 뛰쳐나온다. 고생할 부모님과 언니가 눈에 밟혔지만 국극을 하고 싶다는 욕망이 죄책감을 이겼다.

국극단에 들어오기는 했는데 촛대 신세에서

벗어나지는 못한다. 가족도 외면하고 뛰쳐나왔는데 대사 한 줄 받기도 힘들자 스스로가 한심하고 자꾸만 작아진다. 그래도 열심히 하다 보면 언젠가 혜랑처럼 국극단의 여역이 되는 날도 오겠지, 감히 그런 한 가닥 소망을 가슴 한편에 품고 열심히 연습하던 어느 날 정년을 만나게 된다. 모두가 정년을 시기하고 질투하지만 주란은 어쩐지 정년과 친구가 되고 싶다. 정년의 거리낌 없이 밝은 성격이 좋고, 소심한 자신과 달리 매사 적극적이고 용감한 것도 부럽다.

정년의 연기를 보며 자극받으면서, 그리고 영서와 함께 연습할 기회가 생기면서, 주란 스스로도 몰랐던 배우로서의 잠재력이 점차 빛을 보게 된다. 존재감 없던 미운 오리 새끼에서 백조로 거듭나던 그때, 주란은 정년을 향한 자신의 감정이 무언가 달라졌음을 감지한다. 그리고 그 혼란이 최고조에 이를 때쯤 주란은 그 누구도 예상 못 한 선택의 기로에 서게 된다.

박초록

19세 연구생

정년의 동기생. 정년과 같이 오디션을 봐서 들어왔으며, 보잘것없는 줄 알았던 정년이 두각을 드러내자 처음에는 정년을 미워하고 괴롭힌다. 하지만 은근히 단순하고 남들에게 속을 읽히기 쉬운 투명한 성격으로 귀여운 구석이 있다. 정년과 싸우면서 정이 들기 시작한다. 실력은 두드러지지 않지만 국극에 대한 진심만큼은 그 누구에게도 뒤지지 않는다.

백도앵

28세 단원

가다끼(남자 악역) 연기 1인자로 불릴 정도로 카리스마 넘치는 가다끼 연기를 잘한다. 도앵의 가다끼 연기를 보려고 공연을 보러 다니는 충성스러운 팬들도 몇 있을 정도다. 노래 실력이 연기 실력에 비해서 떨어지는 약점이 있으나, 오히려 자신의 한계와 위치를 담담하게 받아들이는 큰 그릇을 갖고 있다. 연출적인 재능을 갖고 있으며 나중에 그것을 십분 살리게 된다.

원리원칙에 의해 움직이며 소복이 국극단의 룰이라고 정해놓은 것을 절대 어기지 않는다. 자신에게 불이익이 될지언정 그게 옳다고 생각하면 소신 있게 밀고 나간다. 소복과는 이모 조카 사이지만, 다른 단원들 앞에서 대놓고 티 내는 법은 없다.

서복실

19세 연구생

초록, 연홍과 늘 같이 다니는 단짝. 초록과 마찬가지로 정년의 동기생. 초록이 하는 대로 늘 따라 한다.

진연홍

19세 연주생

초록, 복실과 늘 같이 다니는 단짝. 3인방 중 가장 겁이 많고 마음이 여리다.

신월철

21세 연주생

정년의 바로 위 기수이자 영서의 동기생. 정년이 자신보다 늦게 국극단에 들어와서 빠르게 자리를 잡아가자 이를 질투한다.

오필순

21세 연구생

정년의 바로 위 기수이자 영서의 동기생. 정년을 시기, 질투하는 국극단 연구생 중 하나. 원철과 늘 붙어 다닌다.

임숙영

28세 단원

도앵의 동기생. 선배 단원 역할을 톡톡히 수행하지만, 천방지축 단원들을 통솔하느라 때때로 고군분투한다.

백소향

24세 단원

영서의 위 기수. 과거 기생이었다가 국극을 배우게 되었다.

조봉선

25세 단원

영서의 위 기수. 소향과 한방을 쓴다. 마음이 여리고 눈치가 없는 편.

김금희

24세 단월

영서의 위 기수. 소향, 봉선과 한방을 쓴다.

고대일

42세 사업부 부장

매란국극단의 수입과 지출을 관리하고 있다. 어딘지 수상한 데가 있으며 혜랑과 모종의 친분이 있는 듯하다.

이름	나이	직업	설명
권영섭	48세	극작가	유명한 극작가로 많은 국극 대본을 썼다.
이용근	53세	고수	매란국극단에서 고수를 맡고 있다.
조수연	45세	안무가	매란국극단 공연 안무를 담당하는 안무가.

매란국극단 밖 사람들

허용례(채공선)

"정신 차려,
이놈의 가시나야!
시장 바닥서
빌어먹는 한이 있더라도
소리는 안 뒤야!"

정년의 엄마
43세

전쟁통에 남편을 잃고 혼자 몸으로 정자, 정년 자매를 키우고 있는 과부로 억척스러운 생활력을 가졌다. 자식새끼들 배곯지 않을 수 있다면 생선 파는 일이든, 물질이든, 삯바느질이든 못 할 일이 없다. 빠듯한 살림에 늘 치이다 보니 마음의 여유가 없어 딸들에게 겉으로는 무뚝뚝하지만 속정이 깊고 딸들을 사랑한다.

과거 그녀의 이름은 채공선. 천재 소리꾼으로 이름을 널리 알렸었다. 채공선 하면 추월만정이었고 추월만정 하면 채공선이었을 정도로 〈심청전〉의 추월만정을 즐겨 불렀고, 잘 불렀다. 심청이의 고독한 처지가

자기의 외로운 처지와 닮아 그토록 가슴에 사무쳤는지 모른다. 공선은 소리를 하면서 위로받았고, 숨 쉴 수 있었고, 가슴이 뚫리는 듯했다.

하지만 영광의 나날은 잠깐이었다. 주위의 엄청난 기대에 힘들어하던 그녀는 부담감에 짓눌려 과하게 목을 쓰며 연습하다 결국 떡목이 돼버리고 말았다. 그토록 칭송받았던 목소리는 간데없고 남은 건 쉰 소리뿐. 사람들은 천재의 비참한 몰락이라고 수군거렸고, 공선은 높이 올라갔던 만큼 더 바닥으로 처박혀 절망한다. 백방으로 약을 써도 목은 돌아오지 않았고 조롱받다 서서히 잊힌 공선은 산송장처럼 지내다 홀연히 대중 앞에서 사라져버렸다. 소리꾼 공선은, 더 이상 이 세상에 없는 거다.

이제 그녀는 채공선이라는 이름을 버리고 서용례라는 이름으로 살아가고 있다. 소리꾼의 과거는 희미해진 지 오래다. 가끔씩 해묵은 상처가 욱신거리고 아리지만, 가끔은 가슴이 찢어질 듯 이유 모를 갈증에 허덕이지만…… 애써 외면했다. 소리를 하면서 그토록 행복했지만, 결국 소리가 그녀의 모든 것을 앗아갔으니까. 예인의 길은 지옥문으로 향하는 길이었다. 용례는 이제 그 시절을 다 잊었다고 스스로에게 자꾸만 되뇐다.

그런데 예상치 못한 일이 벌어졌다. 딸 정년이 소리를, 국극을 하고 싶다고 한다. 가슴이 서늘해지는 용례. 절대, 정년이만은 내 악몽을 되풀이하면 안 된다. 지난날 소리를 잃고 주저앉았던 절망감이 되살아나는 듯하다. 딸마저 소리에게 빼앗기게 될까 봐 불안해진 용례는 정년을 호되게 야단쳐보지만, 정년은 기어이 길을 떠나는데.

추가 노트 : 서용례 서사의 엔딩

목소리를 잃은 정년은 용례에게 말한다. 부러진 목으로라도 소리를 하겠다고, 소리를 못하면 못하는 대로 국극을 하겠다고. 그래야만 속이 뚫리고 사는 것답게 사는 기분이라고. 그 말이 무엇을 의미하는 것인지 용례는 사실 누구보다 잘 알고 있다. 게다가 옛 친구인 소복이 용례에게 던진 한마디. 그러는 넌 소리를 버리고 행복했었냐고?

결국 용례는 정년에게 부러진 목으로도 어떻게 소리를 할 수 있는지, 무無를 어떻게 채울 수 있는지 알려준다. 처음이자 마지막으로 정년의 앞에서 소리를 하는 용례. 해가 뜨는 희부연 하늘을 머리에 이고 너른 바다를 보며 떡목으로 처절하게 소리를 하는 용례를, 정년은 눈물을 참으며 지켜본다.

용례는 정년의 길을 받아들이면서 비로소 그녀 자신도 가슴의 응어리를 풀고 과거에서 자유로워지게 되었다. 더 이상 천재 소녀도, 소녀 명창 채공선도 없지만 완전히 자유로운 인간 서용례가 그곳에 있었다.

한기주

영서의 엄마, 소프라노
48세

성악 불모지였던 조선땅에서 독창회를 수차례 가진 스타 소프라노. 자존심 세고 교만하며 남에게 지기도 싫어한다. 성악을 하는 큰딸 영인에 대한 기대치는 하늘 꼭대기에 닿을 정도다. 영인을 대놓고 편애하며 영서의 자존감을 틈만 나면 갉아먹는다. 영서를 끝없는 애정 결핍과 인정 욕구에 시달리게 만든 장본인.

허영인

영서의 언니, 소프라노
22세

어렸을 때부터 성악 신동으로 유명했던, 요즘 어딜 가나 얼굴을 알아볼 정도로 핫하게 떠오르고 있는 소프라노다. 겉으로 보기에는 애교가 넘치고 쾌활하지만 유별난 어머니의 기대치에 맞춰 사느라 속이 썩어 문드러졌다. 언젠가 대형 사고를 쳐서 엄마의 손아귀에서 탈출할 계획을 하고 있다.

윤정자

21세
정년의 언니

따뜻하고 여린 마음을 가졌다. 정년을 진심으로 아끼며 정년이 원하는 것은 뭐든 들어주려고 한다.

박종국

32세
방송국 피디

최초의 방송국이 개국하자 그곳의 피디가 되었다. 텔레비전이 장차 사람들에게 엄청난 영향을 끼치게 될 거라 생각한다. 시류에 민감하고 앞을 내다보는 눈이 있지만 남의 약점을 교묘하게 이용할 줄 아는 교활함도 있다. 정년의 노래를 듣고 스타로 키우려 한다.

패트리샤 김

35세 가수

과거 유명한 가수였다. 결혼하면서 잠정적으로 은퇴했다가 얼마 전 이혼을 했다. 이혼녀 딱지가 붙은 뒤로 사회의 시선이 곱지 않다는 것을 누구보다 잘 알고 있지만, 다시 가수로 복귀할 그날을 기다리며 가수 지망생들을 가르치고 있다. 자신의 직업에 프라이드와 책임감이 강하다. 종국과 친분이 있으며 정년이 가수 데뷔를 준비할 때 레슨을 해준다.

임진

55세 판소리 명창

국창이란 소리까지 듣던 판소리 명창. 소리를 하는 사람이라면 모두 우러르는 인물. 공선과 소복을 가르쳤었다. 멘토로서 엄격하고 빈틈없는 임진의 태도는 소복에게 그대로 이어진다.

공천부

69세

소리판을 한평생 따라다닌 고수.
늘그막에 얻은 어린 딸 공선을 끔찍이
아낀다. 소리꾼의 길이 얼마나 외로운지
알고 있기에 공선이 그 길로 가는 것을
조마조마한 마음으로 지켜본다. 그의
죽음은 어린 공선에게 깊은 상처와 한을
남긴다.